Le Cousin de Max et Lili se drogue

Avec la collaboration
de Renaud de Saint Mars

Série dirigée par Dominique de Saint Mars

Imprimé en CEE
ISBN : 2-88480-022-0

Ainsi va la vie

Le Cousin de Max et Lili se drogue

Dominique de Saint Mars

Serge Bloch

* Retrouve Victor qui construit la cabane dans « Max est maladroit ».

Ah, Victor, tu es arrivé, on est content que tu sois là, comment vas-tu ?
Maman, on pourrait mettre Lili dans l'autre chambre, comme ça Victor...
C'est ça !
On va voir plus tard... Max, tu ne voudrais pas aller chercher du pain ? Il n'y en a plus...
Je peux y aller, moi !
Non, on y va ensemble, c'est plus sympa !

Et alors Jérôme lui a dit...
tu te souviens de Jérôme ?
Tu sais, mon copain avec
les cheveux un peu longs ?
Oui, oui...
passe-moi l'argent,
c'est moi qui vais
acheter le pain !

Ah, zut, j'ai perdu
la monnaie du pain !
Cherche bien !
C'était un gros billet !

Je ne comprends pas,
j'aurais dû entendre tomber
les pièces en courant...
je suis désolé...

Cherche encore, j'ai dû dire que c'était moi ! Bon, on va à la cabane ? Au moins pour voir ce qu'il y a à faire !
Le mieux, c'est que tu ailles jouer avec tes amis ou tes petites voitures. Tu m'oublies, d'accord Max ?

?

* Pétard : cigarette mêlant cannabis et tabac. Ça s'appelle aussi un joint.

C'est grave, en tout cas, ça veut dire qu'il connaît des dealers*, c'est interdit parce que c'est dangereux ! Quand les parents vont savoir... ! ! !

* Dealer : mot anglais qui veut dire revendeur de drogue. Plus il a de clients, plus il gagne de l'argent.

C'est nul, cette télé !

Tu pouvais pas m'appeler avant ? On se retrouve comme d'hab... Je vais essayer de trouver une bécane... salut !

Où tu vas ? Je peux venir ?
T'es de la police ? Je vais voir un copain... Me faut un vélo...

... j'ai pris celui de ton père !
Pas gêné, lui !

Il faut que je sache !

C'est moi l'aînée,
je dois le protéger !

Bang !

Mais... qu'est- ce que tu fais là ? !
Et toi ? Tu te prends pour l'inspecteur Colombo ?

Attention qu'ils ne nous voient pas...! Qu'est-ce qu'il lui donne ? Oh... il paie avec la monnaie des courses !

Ça y est, ils reviennent par ici !

Vite, il faut filer !
CLAC

Mais qu'est-ce qu'il fait là, celui-là !
Tu m'espionnes ou quoi ?
Euh, non, pas du tout, je suis allé voir un copain, mais euh... il n'est pas là !

Bon, ça va ! Dis donc, il existe toujours le hangar abandonné où tu m'avais emmené une fois ?

Vite ! Mais à qui je vais le dire ? !
Ah oui, Jérôme, ce vieux
Jérôme !

Ils doivent être
là-dedans... J'espère
qu'ils ne l'ont pas
obligé à se droguer !
Pourvu qu'on arrive
à temps... Courage !

On est là ! Ça va ?
MAAAX !

Vous venez pour la fumette ? Hi, hi !

Désolé, c'est pas pour les éléphants... non les enfants.
AH, AH, AH ! Hein, Coco, elle est bonne ?
Hi, hi, hi, les éléphants roses !
Vous vous croyez cool... Mais vous n'avez pas l'air malin !
On n'en veut pas de votre truc !

Et en plus tu risques d'aller en prison !
Ça ou la maison, de toute façon, c'est l'enfer ! Les parents, c'est toujours la même chose !
Comment ça ?

« Travaille ! Regarde ta sœur comme elle réussit ! Et qu'est-ce que tu vas faire plus tard ! »
C'est comme partout, quoi !

Ma mère se bourre de somnifères pour dormir
et mon père, quand il est là,
il lui faut son whisky... !
Alors, qui c'est les drogués, hein ?
Mais à l'école, si tu en fais
de moins en moins, ce sera
de plus en plus difficile
pour toi... !
Ça ramollit le cerveau,
c'est évident !

L'école, je m'en fous,
l'avenir aussi, je veux juste
qu'on me fiche la paix...

...et qu'on te laisse voler l'argent des courses et bientôt voler des sacs pour payer les sales types comme lui qui te rendent esclave !
Hé là, tu vas retirer ce que tu as dit, toi... !

C'est plutôt toi qui vas dégager d'ici... On n'a pas peur des loques, NOUS !
Nous, en tout cas, on trouve que ça pue ici. On t'attend à la maison, Victor !

Mais si jamais il arrive comme ça, les parents vont tout découvrir !

Tu ne veux vraiment pas m'aider ? Je vais essayer de réparer la cabane tout seul, ça sera moche ! Et mon vélo... la chaîne saute tout le temps...
Ouais, c'est une bonne idée, vas-y ! Moi, ça me gonfle !

Victor, d'après tes parents, tu avais du travail, il me semble, non ?
Du travail ? Non, non, je vois pas... Ah, saleté de chien, va lécher quelqu'un d'autre !

Ça va, Victor ? Tu sais, je crois que ça ferait plaisir à Max que...
?
?

Qu'est-ce qui se passe ? Où est Victor ?
... par là, je crois.

On peut parler une minute, Victor ? Je ne savais pas que tu fumais des pétards... !
Euh... de quoi ? Tu sais ce que c'est ? !
Oui, un peu. Et je commence à comprendre pourquoi tu n'es plus le Victor de l'année dernière. Tu éteins ça et on discute...

Laisse ça aux vieux ! À ton âge, on apprend, on se construit, on fait des choix. Autrement on prend du retard et on déprime.

Il faut bien se faire plaisir !

Bof, avec les filles, je suis un peu nul !

Moi, je te trouve TOP... Peut être que les filles n'aiment pas les mecs qui fument ?

Et mes parents, ils ont un peu honte de moi, ils ont toujours peur... ou ils ne sont pas là... ou alors ils me font des reproches !
Tu le leur as dit ?

Non, ils ne peuvent rien faire pour moi ! Mais tu vas pas en parler à la police ?
Je t'aime beaucoup, Victor. Je ne vais pas t'enfoncer alors que tu es dans une mauvaise passe...

... j'ai un copain un peu spécialiste, qui vient. J'aimerais qu'on en parle ensemble.
Encore la morale... merci !

J'ai laissé un message à mon
frère et à Emma. Ils ne se rendent
pas compte que leur fils
a plongé dans la fumette.
Georges a dit qu'il
passerait...

... et ce n'est pas vous qui
avez dit à votre père que...
je fumais... ?
Je te jure
que non !
Au contraire,
on a tout fait
pour le cacher !

C'est dingue ! Il ne m'a même pas engueulé... Il m'a parlé calmement, comme s'il en connaissait un rayon sur la question !
Il est bien , mon père !

Content de te voir, mon petit Georges !

Je te présente Victor, le fils de mon frère Luc. C'est l'ingénieur de la famille, il répare, construit des cabanes, des vélos, des machines...

Bonjour, moi, je suis un ami et aussi médecin ! Paul m'a un peu raconté. Tu sais, pour moi, la drogue, c'est pas une question de morale, mais de santé !

Mais quand on est stressé...
Pour le stress, trouve des trucs plus sains ! Si tu voyais sur un écran ce que ça fait aux neurones du cerveau... et puis sans t'en rendre compte, tu ne peux plus t'en passer !

Ça m'aide, moi ! Sinon, j'ai les idées qui se bousculent, je ne sais pas ce que je pense, ce que je veux... je n'arrive pas à m'endormir.
L'adolescence, c'est un passage pas facile. Ça remue le corps et la pensée. Mais préférer planer plutôt que résoudre ses problèmes, c'est pas une solution.

* Paranoïaque : qui croit être persécuté, que tout le monde lui en veut, qu'on est contre lui.

C'est comme dans les drogues dures, on met des produits chimiques hyper dangereux. Surtout, n'y touche jamais ! Et méfie-toi des canettes déjà ouvertes dans les fêtes...
Les drogues dures, en une seule prise, ça peut tuer ou rendre fou. C'est pas pour des prunes que c'est interdit !

Qu'est-ce que tu aimerais faire plus tard, Victor ?

Bof... Je formerai un groupe de musique et je partirai. Mais je sais qu'il faut beaucoup travailler pour ça...

... alors, je ne vais peut-être pas y arriver... bon, ça va... vous m'embêtez...
ARRÊTE ! REVIENS !

Victor , où tu vas ? Reviens, ça ne sert à rien !

Victor, arrête ! ! ! Attention la pente ! Le camion !
Rentre chez toi ! Laisse-moi tranquille !

Victor vient de filer...
Max le poursuit... Mais vous ne nous aviez pas dit...
On est désolés... On pensait qu'il avait arrêté... On lui avait interdit.

Il faut lui redonner confiance en lui, lui proposer des projets nouveaux, lui dire ce que vous n'avez jamais osé lui dire, il se sent peut-être seul !
On dirait plutôt que c'est lui qui nous repousse ! Quand il était petit, je l'appelais mon doudou... Maintenant je n'ose plus, il est trop grand...

L'histoire de Benjamin, il est au courant ?
Benjamin, c'est notre jeune frère qui s'est tué en voiture. Il aimait les sensations fortes...
... il était tombé dans les drogues dures. Ça, Victor ne le sait pas.

Alors, il ne sait pas non plus ce que tu as fait pour sortir Benjamin de la drogue. Comment toi, Luc, tu as risqué ta vie pour le sauver en montagne !
C'est vrai, Victor me prend pour un froussard... qui n'a jamais rien vécu...
Maman, papa, les voilà ! ! !

Enfin, on s'est sauvés ensemble, comme des potes...

Comme des frères, même !

Oh mon fils,
comme je t'aime ! Il faut
que je te raconte une histoire vraie,
une histoire de frères !
Moi aussi,
j'ai une histoire à te dire,
une histoire de fils...
Mais on a d'abord la cabane
à réparer, hein Max !
Ça me va,
vieux frère !

Et toi...

Est-ce qu'il t'est arrivé la même histoire qu'à Max et Lili ?

Sais-tu ce que c'est ? Pourquoi c'est dangereux et interdit ? Est-ce que ça te fait peur ?

Pourquoi on se drogue ? À cause du stress ? Pour le plaisir de tout oublier ? De faire comme les grands, braver l'interdit ?

Tout le monde peut-il tomber dans la drogue ou seulement ceux qui ne sont pas sûrs d'eux ? Faut-il les aider à y échapper ?

Est-ce difficile de dire NON ? de rester soi-même quand on est dans une bande ? Faut-il se faire soutenir par ses parents ?

Si on se sent nul, seul, triste, agressif, est-ce plus malin de voir un psy pour reprendre confiance en soi et dans les autres ?

Ferais-tu une campagne pour lutter contre la drogue ? des débats en classe ? avec les parents ? l'infirmière ?

En prend-t-il souvent ? Est-ce que tu l'as vu ? Se cache-t-il ? Est-ce un adulte ou un jeune ? Est-ce qu'il t'en a proposé ?

Le trouves-tu mou ? sans envie ? renfermé ? un peu débile ? ou sympa ? drôle ? heureux en amitié et en amour ?

A-t-il de l'argent ? Il vole ? Il rackette ? Est-ce qu'il l'achète au lycée, à quelqu'un qui vient de l'extérieur ?

Travaille-t-il bien en classe ? Son niveau a-t-il baissé depuis qu'il fume ? A-t-il du mal à écouter, à se concentrer ?

Ses parents s'occupent-ils trop de lui ou pas assez ? Les autres l'admirent ? Il se grandit en faisant des choses interdites ?

As-tu envie de faire comme lui plus tard ? ou il n'est pas un modèle pour toi ? En as-tu parlé avec tes parents ?

Petit dico sur les drogues

• **Cannabis** : C'est une plante. Avec ses feuilles, on fait « l'herbe ». Avec sa sève, on fait le « haschisch ». Ça rend gai et enlève l'anxiété mais ça ralentit la pensée et on n'a plus envie de rien si on en prend souvent. On peut avoir des problèmes psychologiques, des hallucinations, des accidents de voiture et en être dépendant sans s'en rendre compte.

• **Dépendant ou « accro »** : On est dépendant quand on ne peut plus se passer d'une drogue. On souffre du manque et on est prêt à tout pour en avoir.

• **Drogues** : Plantes ou produits chimiques qui ont un effet sur le cerveau, sur ce que l'on pense, ressent ou ce que l'on fait.

• **Drogues dures** : L'ecstasy, le crack, les solvants, l'héroïne, la cocaïne, le L.S.D.. Ça excite très fort l'esprit et on se croit tout puissant mais ça rend aussi violent, dépressif, cardiaque, suicidaire ou fou. Une seule prise peut tuer. On en vient très vite dépendant.

• **Interdit** : Ce n'est pas pour embêter les gens que les drogues sont interdites par la loi. C'est parce qu'elles sont dangereuses pour soi et pour les autres. Les parents sont responsables de leurs enfants jusqu'à 18 ans.

• **Tabac et alcool** : À faible dose, ce sont des excitants. Ils sont considérés comme des drogues dès qu'on ne peut plus s'en passer. Ils peuvent gâcher une vie, provoquer des maladies très graves et des accidents. On en devient vite dépendant.

France : Tel : 113 (Drogues, alcool, tabac, info service)
Narcotiques anonymes : www.nafrance.org
Suisse : Tel : 147 (Aide téléphonique pour les enfants et les jeunes)
Belgique :Tel : 02 227 52 52 (Infor-drogues)
Canada : Tel : 1800 265 26 26 (Drogue : aide et conseil)